Lecturas

EL VIAJE
SACRÍLEGO

N I V E L   S U P E R I O R

Ernesto Escobar Ulloa

UNIVERSIDAD DE
ALCALÁ

ANAYA ñ
ELE

Equipo de la Universidad de Alcalá
Dirección: María Ángeles Álvarez Martínez

Programación: María Ángeles Álvarez Martínez
Ana Blanco Canales
María Jesús Torrens Álvarez

Autor: Ernesto Escobar Ulloa

© Del texto: Alcalingua, S. R. L., de la
Universidad de Alcalá, 2001
© De los dibujos: Grupo Anaya, S. A., 2001
© De esta edición: Grupo Anaya, S. A., 2001
Juan Ignacio Luca de Tena, 15 - 28027 Madrid

Depósito legal: B-34344-2001
ISBN: 84-667-0054-4
Printed in Spain
Imprime: Cayfosa-Quebecor. Barcelona

Equipo editorial
Edición: Milagros Bodas, Carolina Frías, Sonia de Pedro
Equipo técnico: Javier Cuéllar, Laura Llarena
Ilustración: El Gancho (Tomás Hijo, José Zazo y
Alberto Pieruz)
Cubiertas: Taller Universo: M. Á. Pacheco, J. Serrano
Diseño de interiores: Ángel Guerrero

Expresamos nuestro agradecimiento al Vicerrectorado de Investigación de la
Universidad de Alcalá, por el proyecto subvencionado "Frecuencia de uso y estudio del
léxico con especial aplicación a la enseñanza del español como lengua extranjera"
(H004/2000); y muy especialmente al Vicerrector de Extensión Universitaria de esta
Universidad, profesor Antonio Alvar Ezquerra, por haber acogido con entusiasmo nues-
tro proyecto y habernos prestado desde sus comienzos su inestimable apoyo y ayuda.

A Cristian, Ana y Merch,
por los primeros días del milenio.

Índice

"Nadie sabe nunca cuál será su día final", se dijo a sí misma, sintiendo el escalofrío de haber pronunciado una blasfemia. Luego volvió a levantar la cabeza para seguir contemplando el manto.

Se preguntó si aquella terrible figura, en el vértice izquierdo, saltaba o bailaba. Sus extremidades eran largas y finas, y su boca, como las esferas de sus ojos parecían contener la irónica carcajada de la guerra.

En ocasiones ejecutaba aquella danza de la muerte sosteniendo una cabeza sangrante en una de sus manos y aferrando, en la otra, el cuchillo homicida.

Tal vez los antiguos le recriminaran sus derrotas, o tal vez le nombraran señor de sus conquistas. Tal vez entonaran en su nombre los cantos previos a la batalla, o tal vez le encomendaran la suerte de sus muertos. Fuera quizá la imagen perpetua del aliado o, tal vez, el icono del azar y lo desconocido, una deidad tan caprichosa como la propia naturaleza, unas veces amable y otras veces hostil con los pueblos que, hace cientos de años, habitaron estos inhóspitos parajes.

Sin embargo, Ana había empezado a sospechar que el Ser Oculado[1] representaba algo más.

"Nadie sabe nunca qué día morirá", se dijo. Luego echó una mirada tras de sí, temiendo que algún visitante

---

[1] Ser Oculado: personaje antropomorfo de grandes ojos, muy recurrente en los tejidos de la cultura Paracas, ubicada en el departamento de Ica, aproximadamente a 400 km al sur de Lima (500 a. C., periodo formativo superior). Nada concluyente hay escrito acerca de su significado (Oculado proviene de la voz latina *oculum,* 'ojo'). El arte textil de esta cultura causa admiración en el mundo entero, tanto por su abundante producción como por su destreza técnica. Según el *Diccionario de la Real Academia,* la voz **paraca** (del quechúa *paraqa,* de *páraq,* 'pluvial') significa 'viento muy fuerte del Pacífico'.

del museo hubiera podido oírla. Miró nuevamente el manto y balbuceó: "Ellos lo sabían".

Pensaba que los antiguos habían hallado el contenido de su destino en el color del cielo al amanecer, en el desierto que los circundaba. Ana, secretamente, había empezado a especular que tal vez los hombres de Nazca[2] habían descifrado los enigmas de la vida, que el mundo se había convertido para ellos en un oráculo de proporciones inconmensurables, cuyos mensajes desperdigados por doquier vieron la necesidad de recopilar en las pampas* del desierto en forma de líneas y dibujos en más de trescientos kilómetros cuadrados. Una vez esquematizadas las claves que separaban a los hombres de las divinidades, se desvanecieron en las nebulosas del tiempo, motivados tal vez por la postrera ambición de que pueblos venideros descifraran los códigos por sí mismos, dado que en algún momento tuvieron la certeza de que de su civilización sólo perduraría el arte.

¿No pensaban acaso renombrados investigadores que una cultura matriz como Chavín[3] pudo haber sido centro de peregrinación al que diversos hombres, de los más remotos confines, acudían a fin de auscultar su incierto futuro? Nazca pudo cumplir un papel similar.

---

[2] Cultura Nazca: cultura prehispánica que se desarrolló en la costa sudeste de Perú, en la provincia del mismo nombre, en el departamento de Ica, entre los años 300 a. C. y 600 d. C. Su principal testimonio son una serie de líneas y dibujos trazados en las pampas de la zona.

[3] Cultura Chavín: cultura andina que se desarrolló entre los años 2000 a. C. y 500 a. C. en Huari, provincia del departamento de Ancash. Se le denomina cultura matriz al ser considerada la primera civilización del antiguo Perú y una de las más influyentes en lo que a estructura social respecta.

La fe de los hebreos atribuye infames tormentos a quien descubra la apariencia de Dios (al verlo, los ojos de Saúl habrían quedado definitivamente en tinieblas); así también, Ana intuyó que propalar estas recientes conjeturas haría caer sobre ella el fatídico castigo de las divinidades.

Sin querer ver nada más, salió del museo a toda prisa y prosiguió su viaje de regreso a Lima.

Una vez en el carro*, el incidente de la cámara fotográfica la llevó a pensar nuevamente en lo ocurrido la víspera, en casa de Antonio.

* * *

Acababa de salir de la quebrada de Majuelos[4], donde hace un tiempo, y motivada por una serie de sospechas científicas, había ido y pronto descubierto nuevos petroglifos –seres antropomorfos con rayos por cabellera, algunas veces con vida propia, y otras subordinados a las de otros animales, como centellas brotando de sus ojos o como serpientes resurgiendo de sus bocas–, cuando, de pronto, un hombre la detuvo en el desierto.

Frenó bruscamente.

–¿Me recuerda, señorita?

Era Antonio, un hombre joven al que, aquella semana, había llevado un par de veces hasta la carretera.

–Sí, claro –respondió Ana, amigablemente–. ¿Cómo está, Antonio?

---

[4] Quebrada de Majuelos: zona situada a unos 30 km de la ciudad de Nazca. La prospección de Donald Proux lo sitúa en Rn-49. Ana Nieves lo sitúa en la prospección QM-A-01. Recientes estudios de esta investigadora revelan la existencia de numerosos petroglifos de gran valor histórico.

–He oído el motor desde mi casa... Bueno, bien, bien –dijo Antonio, con las manos en la cintura–. ¿Qué hace por aquí a estas horas, señorita? Es tarde.

Efectivamente era tarde. El cielo de Nazca ardía en las llamas de un sangriento crepúsculo; las últimas lanzas del sol atravesaban una lenta y pesada procesión de nubes que azoraba el cielo allá en la distancia.

–He descubierto nuevos dibujos –respondió ella, paseando la mirada por ese cielo maravilloso–. Voy para el pueblo, ¿quiere que le lleve?

Había hallado una serie de petroglifos que se correspondían con las características del arte textil Paracas. Se trataba de surcos inscritos en una grieta angosta, a unos veinte metros del primer yacimiento encontrado en Majuelos. En medio de pequeños dibujos de peces había uno que le llamó poderosamente la atención: unos ojos esferoidales en cuyas cavidades podía introducir los dedos y recorrer la piedra con las yemas. La mirada de lo que parecía ser una temprana representación del Ser Oculado apuntaba hacia el norte, es decir, hacia Paracas.

–No, gracias, más bien quería agradecerle que me jalara* el otro día. ¿No desea conocer a mi familia?

Ana no podía negarse. Antonio parecía buena gente, un hombre leal, amable, como la mayoría de los iqueños. Además de su nobleza poseía una entrañable chispa criolla, diferente de la que practican los limeños, menos maliciosa y mordaz.

–Bueno... –alcanzó a decir.

Ahora que tenía que volver a Lima, debido a las fiestas, pensó que podía aprovechar el viaje y visitar el museo de Paracas.

–Es aquísito* nomás* –Antonio, con una amplia sonrisa infantil, señaló una casa en los límites del valle–. Me dijo que no había probado la sandía de por aquí, ¿se acuerda?

–¿Me convida*? –preguntó Ana.

–Tráteme de "tú", señorita –exclamó él.

–Y tú, Antonio, llámame Ana. Señorita, no me gusta nada, te digo.

Una vez que hubieron llegado a la casa –una choza* de caña y barro, con una pequeña chacra*–, la esposa de Antonio había salido a recibirlos. Era una mujer a quien el sol había curtido y resecado la piel y los labios de tal manera que había abierto en ellos grietas profundas, por lo que, como muchas otras mujeres de la zona, aparentaba más edad que la que debía de tener en realidad.

Antonio las presentó. Ana se aproximó a Sarita para darle un beso, pensando con asombro que, además del nombre, su rostro era idéntico al de Sarita Colonia, pero envejecido. Recordó la imagen de la santa, dibujada en las cumbres de la playa Tiza, a la salida de Lima. Dicha imagen podía apreciarse desde la carretera. Estaba hecha con latas de leche, y era obra de un grupo de arte vanguardista de los años ochenta. Aunque muy deteriorada, representaba fielmente el afamado retrato de la mujer a quien la Iglesia católica, negándose a canonizar, había relegado a una devoción marginal.

Entraron a la casa. Un par de lámparas de queroseno alumbraban el recibidor, estirando las sombras de sus cuerpos en el suelo del pasillo. Olía a gallinas, a humedad, a tierra. Al fondo, en las paredes al final del pasillo, aparecían eventualmente unas siluetas esquivas. "Tal vez sus hijos", pensó Ana.

–Perdone, señorita –dijo la mujer al llegar a lo que parecía un salón–, pero aquí no tenemos electricidad.

No la tenían en ningún pueblo de los alrededores, salvo en el pueblo de Nazca. Tampoco tenían agua, únicamente los pozos se la proporcionaban. A veces los hombres de los pueblos vecinos perforaban nuevos pozos, pero el infortunio les hacía extraer agua salada. Los ríos apenas traían agua durante las lluvias de enero, las únicas fechas en que los cauces dejaban de estar secos. ¿Cómo había sido posible para los habitantes de la antigua cultura obtener agua? Ésta era otra de las incesantes cuestiones que desvelaba a los científicos. ¿Y qué tendrían que ver las líneas con esta precariedad? ¿Cómo una cultura podía haber gozado de considerable apogeo social y cultural con la naturaleza tan enemistada con ella? ¿Por qué ahora que el hombre se vanagloriaba de su tecnología y sus adelantos científicos era más difícil la vida? Sí, muy bien, podía surcar el espacio y poner en órbita satélites, podía incluso poner los pies en la luna, y, sin embargo, ¿no consideraría inhabitable esta zona?

Ellos, no obstante, habían vencido las adversidades organizando sus templos y ciudades aquí, luchando y derramando su sangre en guerras cruentas, orando bajo la crepitante hoguera de la noche, vigilados por remotas constelaciones en la oscura profundidad del universo. La explicación de este desfase cronológico podía hallarse en los petroglifos, o en las líneas, o tal vez en los acueductos subterráneos, que proporcionaron el agua necesaria; agua que supieron llevar hasta los cultivos y almacenar cuando fue abundante.

–No se preocupe –dijo Ana, devorada por estos razonamientos, razonamientos que cualquier conversación, por más banal que fuera, podía de repente hacer emerger secuestrándola durante unos segundos.

–¡Sácale las sandías mujer! –le ordenó Antonio–. Que la señorita dice que no ha probado las sandías de aquí.

–Ana, llámame Ana.

En eso se oyó un alboroto y a continuación aparecieron dos niños pequeños corriendo, saltando, dándose empellones.

–Éstos son mis cachorros* –dijo Antonio, con cierto orgullo, abrazando fuertemente a sus hijos.

Ana sonrió y trató de saludar a los niños, pero éstos se atolondraban en el regazo de su madre, gritando como fieras: "¡Yo quiero sandía!, ¡yo quiero sandía!".

Fue entonces cuando Ana distinguió una vaga silueta al final del corredor, una sombra que se movía pesadamente. Aunque le hubiera parecido un espectro o un fantasma, no sintió miedo.

Sarita estaba de vuelta sosteniendo entre sus manos una enorme sandía amarilla. Los niños se alborotaron aún más, restregando la falda de su madre.

Cuando dejó la sandía en la mesa y Antonio la partió en dos –con un machetazo que resonó en toda la casa–, apareció súbitamente en el umbral el rostro decrépito y aterrador de un anciano corpulento, iluminado vagamente por la luz de las lámparas.

Era casi gigante, apenas cabía por la puerta. Sus brazos colgaban de su cuerpo como troncos, sus piernas parecían torres marmóreas. Innumerables arrugas laceraban su recia cara y parecían prolongarse en las gruesas venas de su cuello.

Ana se incorporó inmediatamente, algo desconcertada; pero Antonio, poniendo un trozo de sandía en una de sus manos, le dijo:

–Te presento a mi padre.

Suspiró aliviada –llegó a creer que un desconocido había entrado en la casa–. Ana dejó la sandía y extendió la mano, pero el viejo ni siquiera tuvo la delicadeza de mirarla. Siguió con paso lento y se sentó en uno de los modestos sofás, distraído apenas por una gallina que atravesó el salón a la carrera y a la que los niños atacaron escupiéndole pepitas de sandía como proyectiles.

Fue entonces cuando, al verlo ahí sentado, Ana lo reconoció. La figura de aquel hombre la había sorprendido varias veces, en días diferentes, desde que había empezado a estudiar la quebrada. Unas veces aparecía de pie en lo alto de una loma, otras sentado en alguna piedra, pero siempre lejos, y siempre observando sus quehaceres fijamente. Cuando Ana lo descubría espiándola, el viejo permanecía quieto sin quitarle la mirada al menos por unos segundos, para luego darle la espalda, y echarse a andar y desaparecer tragado por la distancia o la cumbre de un cerro*.

"Será un huaquero*", pensaba ella sin interrumpir sus investigaciones, pero distrayéndose a cada instante, perdiendo la concentración, barajando otras posibilidades, pero, sobre todo, pensando en su descomunal estatura, porque, aún a la distancia, ésta era igual de intimidante, como un fenómeno paranormal o una alucinación.

Ahora, tras ese prolongado anonimato, lo tenía delante de sí, con el inusitado aplomo que poseen los ciegos, los mudos, los dementes; ese extraño don que adquieren en algún momento ciertos marginados, y que en su ausente presencia los recubre de un aura hechicera.

–Papá, ¿estás bien? –preguntó Antonio, al ver el gesto pétreo de su padre.

El hombre parecía afligido, aunque de pronto, sin ninguna sutileza, respondió preguntando con atronadora voz quién era esa mujer.

–La señorita es arqueóloga –dijo Antonio.

–Lo que quiero saber, hijo –alzó la voz–, es qué hace esta señorita en mi casa –el viejo quedó mirando el suelo.

Ana estaba sensiblemente impactada; la gruesa voz de aquel hombre parecía colmar y traspasar el espacio de aquella rústica habitación, no por su potencia exactamente, sino más bien por la capacidad de expandir su volumen, algo que, en concordancia con él, era también dantesco.

La mujer de Antonio, previendo lo que se avecinaba, mandó a jugar a los niños. Ella también abandonó el salón bajando la cabeza, como quien teme ser pretexto y flanco de una repentina e injustificable ira.

–¡Carajo*, viejo! –exclamó Antonio– ésos no son modos de tratar a una invitada.

–¿Usted respeta a los muertos, señorita? –preguntó el anciano con ese cavernoso tono, ignorando el fastidio que su intransigencia provocaba en su hijo.

Ana dejó el trozo de sandía en la mesa y respondió incómoda:

–Sí, señor, soy católica.

El viejo volvió a bajar la cabeza, la movió de un lado a otro, negando, cansado. Luego produjo sonidos de fastidio, de queja; finalmente se deshizo en un largo suspiro de impaciencia, hartazgo e incomprensión; todo ese malestar que irradiaban sus actos parecían enterrarlo más en su vejez, demoler aún más la arquitectura ósea que construía su anatomía, y distanciarlo de los hombres, exiliarlo de la vida, sin que sus semejantes accedieran al porqué de esta unánime y misteriosa actitud.

–Las víctimas de los sacrificios viven en todas partes, señorita –prosiguió, entrelazando los dedos de sus manos, con el talante y la convicción de quien se sabe protegido por algo o alguien–; están aquí, con nosotros, en los cerros, en los ríos, entre las piedras de Nazca. A ellos no les gusta lo que usted hace aquí, ¿lo sabía? Creo que por su bien debería saberlo.

–¡Papá, por favor! –dijo Antonio, con tan poca firmeza que era evidente que su padre continuaría a pesar de sus ruegos–. No le hagas caso Ana, no le hagas caso.

–Usted investiga, señorita, yo la he visto tomar notas, hacer fotos... –continuó aquél.

Las venas serpenteaban su cuello, en sus ojos se concentraba una incontenible dureza; un movimiento continuo aprisionaba una mano contra la otra. "Quizá estuviera enfermo", pensó ella, "loco".

–Estudio, señor, intento descifrar el pasado –dijo firmemente tratando de mantener la compostura. Temía que la voz le temblara. Era como en la más retorcida de sus pesadillas; aquellas en las que, en la misma proporción que el terror acechaba, su voz iba apagándose hasta que, como de un pisotón, se extinguía por completo, sofocándola, ahogándola, en el callejón del pánico.

–Usted ignora el poder de los hombres que vivieron aquí. No tiente esa suerte, señorita –un fulgor sarcástico surcó las pupilas del viejo, una ironía, un arrogante desafío–. Deje el pasado en paz, y a los muertos también, y vuelva por donde vino, a esa ciudad perdida a la que pertenece –el viejo terminó de decir esto como quien escupe la flema que ha arrastrado con asco.

–Ana, discúlpame, por favor –dijo Antonio sonrojado, débil, inseguro–. Mi padre no se encuentra bien.

–Usted lleva mucho tiempo por este valle –interrumpió el anciano a su hijo– y ya es hora de que se marche, su labor ha concluido. Lo digo por su bien. No se haga más preguntas, las respuestas no le gustarán.

–Es mi trabajo, señor –dijo Ana. "¡Sí, es mi trabajo!", lo repitió mentalmente pensando que debía decirlo con orgullo. ¡Cuánto había luchado para poder estar ahí ahora! Estaba muy equivocado si creía que, con sus profecías, iba a echarla para atrás.

–¡Eso no es ningún trabajo! –exclamó el hombre de pronto, irritado.

"Una bestia", pensó ella, "una fiera". ¿Qué le habría ocurrido?, ¿qué temía?

–¡Papá! –gritó Antonio.

–¡Cállate, hijo! –ordenó el viejo–. Como yo, como su abuelo, mi hijo es un agricultor. Pero es muy joven; hay ciertas cosas que aún no ha visto, ni oído, que no comprende. Ya llegará su hora. Aquí hemos vivido siempre –el viejo empezó a hablar cansinamente, bajando su tono, acompasándolo, deteniéndolo– en esta quebrada. Habrá visto usted que ya no queda más familia que la mía, y que la quebrada ha quedado vacía.

Tenía la cabeza metida, escondida, la mandíbula rozando el pecho, los hombros alzados. "El habitual gesto del desamparo", pensó Ana.

–Los hombres y las mujeres han ido dejando sus casas y sus vidas aquí por la miseria de las ciudades. Ahora ellos son esclavos, y yo, el único guardián de Majuelos –continuó el viejo con los brazos estirados, los codos apoyados en esas protuberantes rodillas y la espalda encorvada, amplia, enorme–. Cuando muera lo será mi hijo. Ellos necesitan que los protejan de gente como usted, ellos aún no se han ido, señorita; sus vidas han permanecido en el mundo como los dibujos que usted aprecia cada día, cada mañana, cada atardecer, y en las líneas que usted atraviesa con su camioneta. A propósito, ¿ha visto las avionetas que sobrevuelan las líneas?

–Sí, claro –alcanzó a decir Ana, bastante sorprendida por el discurso del hombre–. A mí tampoco me gusta que sobrevuelen la zona.

–¿Y la torre?, ¿prefiere la torre? –dicho esto, por fin levantó la cabeza y preguntó con serena curiosidad–: ¿Dígame?, ¿dígame?

Se refería al mirador que estaba al lado de la carretera[5], desde lo alto del cual se aprecian las Manos, el Árbol y el Lagarto, figuras hechas en el suelo de las pampas, que, como el Pájaro o el Pelícano[6], aunque no tan grandes –aquéllas medían 300 y 135 metros de largo, respectivamente– son inapreciables desde la superficie.

–Pero usando la torre y subiendo a los cerros no se estropean las líneas –dijo Ana. Se sintió dura, apergaminada.

–¿Usted ha visto una víctima de sacrificio? –le preguntó el viejo, clavando de pronto en ella su fulminante mirada.

Ana supo inmediatamente a qué se refería. Pero respondió que no, intuyendo lo que ocurriría a continuación, intuyendo que le mostraría una cabeza trofeo[7] en mejores condiciones que las que ella había tomado entre sus manos.

---

[5] Se trata de la carretera Panamericana, que va desde Chile hasta Colombia atravesando Perú y Ecuador. Al pasar por Nazca la carretera mutila la figura del Lagarto.

[6] Los tres primeros geoglifos mencionados tienen una longitud de entre quince y treinta metros y son visibles desde el mirador al que se hace alusión. Los dos siguientes, sin embargo, sólo pueden verse sobrevolándolos.

[7] Se trata de cabezas cortadas a los muertos y adornadas posteriormente. En un principio se creyó que eran trofeos de guerra. Actualmente se baraja también la hipótesis del sacrificio religioso. Pueden verse cabezas trofeo y momias en el Museo Regional de Ica.

Sabía que los pobladores de estas zonas eran huaqueros y que muchos de ellos aún conservaban en sus casas objetos de valor (la mayoría, porque, de este modo, creían quedar protegidos de espíritus y ladrones).

–…Yo le mostraré al señor de esta zona, señorita.

Apenas hubo dicho esto, el viejo penetró en el oscuro corredor, su sombra iba estirándose deforme en las paredes a medida que el sonido de sus pasos perdía vitalidad.

Antonio se dio media vuelta y, en señal de impotencia, sólo atinó a preguntarle si le gustaba la sandía.

–Sí, claro –dijo Ana, distraída, expectante–, está bien rica.

Entonces retornó el viejo con un bulto envuelto en periódicos amarillentos. Antes de dejarlo sobre la mesa, acercó una lámpara de queroseno. A continuación empezó a descubrir el envoltorio. Y Ana sintió que la curiosidad despertaba como un animal mientras sus ojos seguían con ardor cada uno de los movimientos de aquellas gruesas y toscas manos, hasta que al fin distinguió la negra cabellera y la cuerda que atravesaba la frente. Finalmente la cabeza quedó desnuda ante sí. Era la cabeza de una persona joven, tal vez un guerrero, tal vez un señor, tal vez una doncella.

Era asombroso evidenciar lo bien que había soportado el paso del tiempo. La piel conservaba intacto su color barniz, los labios permanecían sellados con espinas de guarango*, el gesto previo a la muerte latía aún en su fiera mirada. Quizás aquella cabeza había visto con sus propios ojos la monstruosa encarnación del tormento, el cuerpo de la criatura infernal. Y antes de partir de este mundo, aquel ser despiadado había dejado en su rostro el inconfundible sello de su veraz testimonio.

Pensó que éste posiblemente era otro vaso comunicante con la cultura Paracas. Los Paracas también mantuvieron un comercio espiritual con la muerte. ¿No había aquí también un extenso cementerio como el de Cerro Colorado?[8]

–Una vez... –empezó a contar el viejo– cuando Antonio era un niño, una mujer entró en mi casa para llevárselo. Yo estaba en la chacra sembrando garbanzos, y entonces el silbido me alertó del peligro. Y vine corriendo.

–¿Quién silbó? –preguntó Ana.

–Él –respondió el viejo, señalando la cabeza–. La mujer huyó al verme y nunca más volvió. Quería llevarse a mi hijo, comprende. Era una vieja del demonio, un espíritu del mal, ¿sabe? Pero ya ve usted, mi hijo piensa que no son más que cuentos, y que su padre está loco. Usted también lo piensa, ¿no es así, jovencita?

–Discúlpenme* –dijo Ana, mirando la hora–, tengo que marcharme.

* * *

Y ahora que atravesaba los policromados desiertos de Paracas se preguntaba cuál habría sido el verdadero propósito de aquel hombre al mostrarle la cabeza trofeo, y cuáles eran las respuestas que, según él, no le agradarían, y cómo es que sabía que había estado en el mirador de la carretera observando las líneas; ella sólo lo había visto espiándola en la quebrada Majuelos... No cabía duda de que la venía acosando y siguiendo desde hacía mucho tiempo. ¿Dónde más podía haberla visto?

¿Qué pensaba de ella? ¿Creería tal vez que era una turista cualquiera que pagaba en una agencia por sobrevolar

---

[8] Julio C. Tello descubre en 1925 numerosos fardos funerarios en este lugar situado en Paracas.

las líneas?, ¿o que tal vez huaqueaba buscando piezas de posible valor económico que algún coleccionista estuviera dispuesto a comprar? ¿Podía ese hombre distinguir entre una visitante más y una investigadora que, como ella, amaba los misterios encerrados en el arte de culturas prehispánicas como Nazca?

De cualquier forma, el viejo no ignoraba que demasiadas interrogantes martirizaban sus días. Era como si hubiera leído en sus ojos toda la angustia que producía en ella el hecho de que la historia y la arqueología sólo pudieran proporcionar un torrente de hipótesis, muchas veces contradictorias, sobre la finalidad de los infinitos geoglifos de las pampas.

Los desiertos de Nazca estaban repletos de ellos. Líneas que iban y venían, que nacían en los pies de uno, y que continuaban hasta perderse en el horizonte. Que se interceptaban, que se interrumpían, que formaban espirales, ángulos, rectángulos, o dibujaban aves, serpientes, monos, felinos, peces y una serie de animales que habitaban a cientos de kilómetros de allí, y que vinculaba a Nazca con culturas como Chavín o Paracas. Algunos habían afirmado que se trataba de un mapa estelar, un reflejo en la tierra de lo que ocurría en el cosmos, un mapa capaz de organizar el tiempo y reconocer los solsticios y equinoccios, y detectar la llegada de las estaciones y el paso de los cometas. Pero los detractores aseguraban que la envergadura de tal obra bien podía interpretarse, a su vez, como un derroche innecesario de esfuerzos: si conocían tan minuciosamente las reglas del universo, ¿por qué dibujarlas con tanto esmero en la tierra, siendo factible leer el cielo? Otra posible opción, el culto religioso, no equivalía necesariamente a un atraso científico: las líneas pudieron servir como rutas de peregrinación en innumerables ritos; de

este modo, los animales dibujados se entenderían como santuarios donde se depositaban ofrendas o se rendían sacrificios. ¿Y si se trataba más bien de un mapa geológico en lugar de un mapa estelar?

Los acueductos de Nazca, cuya longitud abarcaba centenares de kilómetros, todavía hoy continúan trayendo agua en cualquier época del año, aun en las más áridas, aquellas en que los pozos y las reservas se secan. Era posible que las líneas representaran el curso de estos acueductos y señalaran su lugar de origen, allá en los valles. Los animales de la zona podían simbolizar el momento en que de un lugar apartado era posible extraer el agua necesaria para la vida. Recordaba la extraña y surrealista imagen del pájaro, cuyo desproporcionado cuello zigzagueante señalaba la salida del sol en los meses de junio. Dicho cuello –ahora que lo pensaba– podía explicarse alegóricamente, podía simbolizar un río o un acueducto, en un alarde artístico de sólido fundamento.

Pero había algo más. ¿Qué?

Ana, por otro lado, no dejaba de pensar en sus propios hallazgos, en esas siluetas representadas en las rocas de la quebrada Majuelos; y en el cementerio, cerca del valle, donde era prácticamente imposible andar más de dos pasos sin tropezar con un hueso o un cráneo con un perfecto agujero entre los ojos.

¿Qué objetivo los había llevado a dibujar en esas piedras esqueletos de peces, hombres con forma de muelas, auquénidos que vivían en las sierras* y cachalotes que tal vez morían varados en las distantes orillas del Pacífico? Y aquel último petroglifo, tan similar al personaje del manto del museo de Paracas, ¿qué significaba?, ¿solamente una prueba más de los lazos entre estas dos culturas? Aquellos ojos fuera de sus órbitas, ¿no eran acaso una imagen de la locura, del terror?

¿Y por qué hacer pasar una cuerda por la cabeza de los muertos? Que se hubiera tratado de una costumbre guerrera según la cual quien más cabezas llevara al cinto se hacía merecedor de mayor prestigio social, conducía a suposiciones grotescas, como la de que excepcionales guerreros fueran capaces de caminar y luchar con el hedor de una veintena de cabezas atadas a su cintura.

La muerte resurgía de todas partes, todo parecía conducir a este único motivo artístico. Ana estaba convencida de que había sido su particular obsesión, su verdadero culto. Se trataba del auténtico dios, más poderoso que el sol, los cerros, los animales, los hombres. ¿Acaso alguno de ellos se hallaba a salvo de su voluntad? Las abundantes representaciones de hombres y animales, peces, lagartijas, monos, felinos, podían significar también la auténtica representación de la muerte ejerciendo su poder en el reino de los vivos, matando todo cuanto pudiera moverse, respirar, correr, nadar. La tiranía de su insondable poder los atrapaba en movimiento y congelaba en la posición en que su vida había cumplido alguna función en beneficio de los demás. De ahí las ofrendas humanas, los sacrificios. Y aquellos hombres con grandes cabezas representados en las piedras eran los antiguos habitantes de Nazca conspirando con la muerte a fin de enaltecerla, idolatrarla; habían comprendido que sólo ella, con su satánica impiedad, era también la única fuente de vida, la vida que el desierto encarecía tanto. La adoraban como otros pueblos adoraban al sol y las estrellas, como otros adoraban a la luna o al rocío.

Por eso, a todo aquel que fuera a morir le marcaban la cabeza con el sello de la muerte, dejándolo de este modo cruento y perverso, digno de su lecho y de la gélida acogida de sus brazos, pero, sobre todo, dispuesto a volver a nacer, a recuperar aquello que había poseído y amado.

Pero Ana iba más allá. Mientras pisaba el acelerador pensaba que los antiguos no sólo habían comprendido los designios de la muerte, sino que, además, la habían visto, y habían podido hablar de ella, de su ceño fruncido y de sus enormes ojos, y aquel hombre de Majuelos, el padre de Antonio, siempre supo todo esto.

Aquella era la respuesta que Ana debía ignorar; aquella la justificación del comportamiento receloso del viejo por las investigaciones que ella llevaba cada día a cabo, sin cansarse, sin pestañear, bajo ese sol inclemente que quemaba la piel. Aquel anciano corpulento hubiera deseado que no se adentrara tanto en la quebrada, que no encontrara nada y desistiera y se marchara, como otros tantos, que se perdiera en las fauces tenebrosas de las grietas en medio del desierto, que la tumbara el calor o la sed. Cuando vio que nada de esto ocurría, quiso asustarla él mismo con aquellas imprevistas y fantasmales apariciones.

No debía inmiscuirse, no debía interceder en el curso natural de los hechos. El secreto tan celosamente guardado en las pampas y piedras de Nazca no podía divulgarse al mundo, que jamás había sabido prepararse para el horror.

Pero ¿cómo era la muerte? ¿Qué aspecto tenía?

*   *   *

Esa mañana había salido de Nazca a las seis y media, para llegar lo antes posible a Lima. Le esperaban más de quinientos kilómetros de viaje. Había tomado el desayuno en el hostal, acompañada por la señora Rojas, la dueña, y una de las personas que, cuando se hospedaba aquí, la hacían sentirse como en casa. Fermina Rojas le había dado conversación, hablado de su familia, de sus hermanos y de sus hijos, que trabajaban en Lima, y que, esa misma tarde, debían volver con sus nietos para pasar las fiestas todos juntos. Ana la había oído con respeto, pensando en el coraje de esa mujer trabajadora, en cuyas canas y arrugas podían leerse las cuentas de una vida difícil, y la había puesto al tanto, cuando se lo pidió, de sus investigaciones en la quebrada.

Bajo esa fría ventisca matinal, Ana, bebiendo un dulcísimo café, se había referido al viejo, pero no para contar los detalles de la entrevista, sino para hablar de la cabeza trofeo. Fermina Rojas, íntimamente impresionada, había posado las manos frías en sus brazos y bajado la cabeza para murmurar una incomprensible plegaria. Debía de ser muy religiosa, pensaba Ana, y seguramente creía, obedeciendo antiguos dictámenes católicos, que aquellos pueblos eran herejes, inescrupulosos servidores del mal y de Satanás.

Se había despedido de ella abrazándola displicentemente, deseándole feliz Navidad, entregándole los regalos que había comprado la víspera en el centro de Nazca –un vestido para ella, juegos de mesa para sus nietos, algunos adornos–, y pensando en el amargo gesto que había producido su charla en el rostro de Fermina Rojas, arrinconando esporádicamente la radiante felicidad que significaba para ella la llegada de sus hijos y nietos.

Arrepentida por este desacierto, había tomado la carretera pensando en no parar por ningún motivo hasta llegar a Paracas, donde se desviaría para ir una vez más al museo, a fin de contemplar nuevamente la tela del Ser Oculado.

¿Cuántas veces había visto aquel manto y cuántas se había preguntado por el significado de ese misterioso y recurrente personaje? Ahora que creía saberlo, estaba convencida de que debía enfrentar su intimidante mirada. Sólo así podía asegurarse, de una vez por todas, de que sus últimas sospechas habían dado en el clavo.

Había atravesado el desierto de las líneas a velocidad, recordando las admoniciones del padre de Antonio. La idea de que aquel viejo hubiera querido prevenirla de algo volvía a atormentarla. ¿Prevenirla de qué? Sus años de formación, sus libros, la habían persuadido de numerosas teorías apocalípticas. Si antes no había creído en ellas, incluso antes de empezar sus estudios, ¿por qué iba a creer ahora? Aborrecía y condenaba a aquellos pseudocientíficos que explicaban la utilidad de las líneas de Nazca relacionándolas con seres de otros mundos, con quienes convinieron mantener estrechos contactos. Sabía sobradamente que las editoriales y medios con los que contaban para difundir sus figuraciones conformaban un negocio que lucraba con la ignorancia y el absurdo. Así pues, la solidez de sus conocimientos no había dejado resquicios por donde pudiera filtrarse este tipo de conclusiones extraterrenales; muy por el contrario, la había provisto del coraje para atacarlos, cuando tuvo oportunidad, en diferentes conferencias, artículos y debates.

Sin embargo, visto fríamente, no era éste el caso. Esta vez el viejo, aquel hombre que nunca había intentado hacerle ningún daño, ni siquiera convencerla de nada, sino solamente prevenirla, en lugar de procurarle rechazo, había conseguido acercarla aún más a la respuesta, a la solución del enigma, por la misma vía que ella, secretamente, había escogido gracias a un discernimiento espontáneo, no deliberado.

Y el temor que había crecido en su interior desde la noche de la víspera la acompañaba como un individuo en su viaje de regreso a Lima, y la hacía contemplar el mundo que la rodeaba de un modo ajeno, como si todos aquellos paisajes se tendieran ante sus ojos por primera vez.

* * *

Pero no hizo caso del primer suceso extraño que tuvo lugar esa mañana. Había atravesado el valle de Ingenio, se aproximaba a Palpa por un camino pedregoso lleno de curvas, cuando de pronto, de un lado de la pista, salió a su encuentro una joven mujer. Estaba desnuda, tenía los cabellos largos y negros, y caminaba resuelta, sin apuro*. En medio de ese rocoso y solitario tramo aquella mujer alcanzó a sonreírle. Ana hizo el amago de detenerse y ayudarla –aunque no parecía necesitar ayuda–, pero para entonces había ya desaparecido entre los matorrales como quien traspasa una puerta intangible hacia lo desconocido.

Por un momento creyó conocer ese rostro y ese gesto sosegado; sintió un pinchazo en el pecho cuando los ojos de la mujer se clavaron en los suyos, porque tuvo el presentimiento de conocerla, de haberla visto alguna vez, en algún lugar, y no hace mucho tiempo. Pero por más esfuerzos que hizo no pudo recordarla, y después, cuando llegó a Palpa, ni siquiera consiguió recuperar su figura en la memoria. Salvo los ojos, había olvidado las demás facciones completamente.

Había recorrido la única calle del pueblo –donde en ciertas ocasiones había parado para comer camarones– tratando de retomar la compostura, de no pensar en los fulgurantes ojos negros de esa mujer salida de lo inefable.

Nada extraño había ocurrido en los pueblos siguientes, cuando el sol del amanecer se había apoderado ya del cielo

y resplandecía con ímpetu en los maizales y viñedos de Ica. La vida continuaba su curso habitual en Santa Cruz, Santiago, Guadalupe[9]. Hombres con el pecho descubierto hacían caso omiso del ruido de la camioneta, los niños espantaban a los perros de los corrales, las mujeres lavaban la ropa en los ríos o compraban frutas en los mercados infestados de moscas, y en la ciudad de Ica, la capital del departamento, los pequeños taxis de tres ruedas enfangaban el tráfico en la avenida principal.

Una vez en Pisco[10], dejó la carretera Panamericana para adentrarse en Paracas. Bajó del carro en el puerto y de inmediato una horda de hombres y niños la asaltaron para ofrecerle de todo, desde viajes en lancha a las islas Ballestas[11], hasta los menús de los restaurantes que rodean la bahía.

Caminó hasta el angosto puerto de madera y desde allí observó los extensos desiertos que se perdían al sur. En esa dirección había emergido la cultura Paracas; allá, junto a los restos de Paracas Necrópolis[12], se hallaba el museo[13]. Volvió a su coche y se dirigió hasta allí. La urgencia de sus presentimientos la condujo directamente hasta aquel manto de color cobre. El Ser Oculado soltaba una estruendosa carcajada en mitad de su danza infernal, enmarcado por un bordado de hilos que representaba, en zigzags, las olas del Pacífico.

---

[9] El primero, pueblo de la provincia de Palpa; los dos siguientes, de la provincia de Ica.

[10] Provincia del departamento de Ica. Con el mismo nombre se denomina el aguardiente que aquí se produce, similar al orujo español.

[11] Estas islas son uno de los principales atractivos naturales de Paracas debido a su bello paisaje y variada fauna. Su proximidad a la bahía facilita el acceso en lanchas de motor.

[12] Los estudios arqueológicos dividen la cultura Paracas en dos periodos: Paracas Cavernas y Paracas Necrópolis (ciudad de muertos).

[13] Hay dos museos contiguos, uno natural y otro arqueológico. Aquí nos referimos a este último.

Ahora casi no le quedaban ya más sospechas: ese personaje, del que poco o nada se sabía, de quien no existían hipótesis certeras, era el sempiterno amo y señor de la humanidad. De algún modo, era como si su terrible sabiduría hubiera traspasado el cristal que protegía el manto para penetrar en su cuerpo y sumirla en la desazón y la agonía de aquel que, sin el consentimiento de nadie, acaba descubriéndose metido en un asunto peligroso que no le concierne.

Parecía decirle que estaba en lo cierto, parecía prevenirla de que a partir de ahora se cuidara, parecía de verdad comunicarse con ella interiormente, sin palabras, sin códigos, parecía un enclave real bordado en la tela capaz de tocar la fibra del temor, la cuerda que vibra en las tinieblas del alma, una palpable y maldita superstición.

"Huye", se dijo a sí misma.

Abandonó rápidamente el museo y, en su prisa, se le cayó la cámara fotográfica. Se volteó* para recogerla y vio a Antonio extenderle el brazo con la cámara en la mano. Estuvo a punto de saludarlo, pero de pronto el rostro del portero del museo volvió a ser el mismo, una cara joven de incipientes bigotes.

El cansancio empezaba a actuar como una fuente de alucinaciones incongruentes con la realidad. Por un breve instante aquel hombre se había asemejado tanto a Antonio que, aun advirtiendo la inverosimilitud de esta impostura, le faltó poco para confundirlo y saludarlo.

Le dio las gracias, se acomodó las hebras de cabello y entró en su carro pensando en la relación que aquel incidente podía guardar con lo ocurrido la víspera. Y se largó velozmente de Paracas.

* * *

A continuación, sus temores se fueron difuminando al dejarse llevar por la armónica belleza del paisaje; aquel color turquesa del mar, donde el resplandor del sol dibujaba aros en la espuma de las olas que rompían en la orilla, aquellas islas sinuosas que parecían dormir sobre el océano, aquella límpida bóveda celeste libre de nubarrones y surcada eventualmente por coloridas manadas de aves migratorias; el planeta parecía mostrar en Paracas su verdadera extensión, su naturaleza inabarcable; ese confín del universo era la prueba tangible de la insignificancia humana, de su pequeñez. Habitar un paraje como éste parecía una forma de convivir con el cosmos, el lugar indicado donde disfrutar del atardecer, de la soledad, de la meditación, como un elemento más, parte de un todo astronómico infinito.

No repostaría hasta llegar a Cañete[14], donde además aprovecharía para almorzar en El Guardián, un pequeño y afamado restaurante cerca de la plaza principal al que solían acudir camioneros y pescadores.

Miraba las rayas blancas de la carretera certificando que la costa peruana era efectivamente un desierto. Se trataba de un territorio inhóspito, cualidad que le otorgaba ese aire fascinante que, inevitablemente, ensimismaba a las personas, envolviéndolas hasta abstraerlas, de ahí que, tal vez, todo ello pudiera haberse sumado a su cansancio y producido un estado similar al sueño.

Pensaba que había algo inquietante en el hecho de que el paisaje se debatiera en la duplicidad: por un lado estaba la vida, representada por el convulso océano, y, por otro, la muerte, es decir, el desierto, que acababa por empedrarse en los cerros y que, no muy lejos de aquí, dejaba paso a las

---

[14] Provincia de Lima.

cadenas montañosas. El mundo, al sur de Lima, hipnotizaba a través de esa dualidad. En ese paraje, donde convivían el sol, las garúas*, la arena, las gaviotas, había que añadir el sepulcral silencio que, de cuando en cuando, quebraban los motores de los carros que recorrían la carretera. Y había que añadir la noche también, y la luz de los astros y la luna, tenue, seductora, metalizando la superficie del mar, transformándolo en un vasto cristal que rompían los delfines negros.

Concluyó que la conjunción de todos estos elementos era la causa de la solitaria y rara manera de ser del costeño, de su temperamento lleno de altibajos, tan pronto presto para la felicidad de una brutal borrachera, tan pronto apático y mustio, abofeteado por una súbita melancolía.

"La costa era el desierto de los hombres, de sus almas", pensaba Ana.

Todo esto justificaba, a su vez, una doble manera de concebir la realidad. El silencio, por ejemplo, era al mismo tiempo ruido perpetuo, incansable. Recordaba que en pueblos como Paracas se hablaba del silbido de los vientos marinos, a cuyo nocturno compás el desierto traspasaba de un lugar a otro las faldas y cumbres de las dunas, transmutándose al amanecer en un paisaje nuevo e irrepetible. Los pescadores de Cerro Azul aseguraban oír los cantos de los bufeos* en las noches de luna llena, así como el susurro de los ríos y la música que entonaban las constelaciones y los planetas en su recorrido por el universo, algo que también había oído en Mala, Puerto Fiel, Gallardo, Asia. En Nazca se hablaba de los "cerros de agua", cerros en cuyo interior latía –según los nativos–, un ruido sostenido de corrientes fluviales –"eran dioses", aseguraban algunos–. Asimismo, los deltas aparentemente inofensivos aumentaban de pronto su caudal y terminaban por arruinar a los pobladores, arrasando las cosechas de meses enteros, convirtiéndolas en un lodazal de piedras, a veces arrastrando a sus hijos, sus hogares, sus posesiones, despojándolos así de todo cuanto tenían.

Y qué decir del mar, soberano de este dominio, que en innumerables playas aparentaba una mansedumbre engañosa, puesto que de pronto, como un receloso y susceptible animal, engullía con inesperados remolinos las vidas de quienes subestimándolo se adentraban en las aguas.

Todo era de este modo y de este otro, simultáneamente.

Pensó que quizá fuera esto lo que debió excitar primero y fomentar después la imaginería de las antiguas civilizaciones; con el paso del tiempo éstas debieron de hallarse en la encrucijada de tener que decidir entre el complaciente desahogo del oscurantismo y la barbarie o la escalada hacia las virtudes supremas del intelecto. Resultó que la entereza de su insaciable curiosidad las condujo hacia los horizontes más apartados de la mente humana, la astronomía, la física, el arte, disciplinas capaces de imprimir en la tierra su afán imperecedero, póstumo.

Ana sentía físicamente que el mundo que la rodeaba había empezado a ejercer en ella los mismos efectos, saturando de ficción la realidad de lo cotidiano, avivando así la fantasía y convirtiendo sus reflexiones en algo geométrico, arrastrándola hacia un espacio donde lo real era tan inasible como el rutilante resplandor de un oasis.

Y aunque aquel día pareciera el sueño de un fantaseador sin escrúpulos, podía afirmar que experimentaba algo muy próximo a la consecución última del bienestar, un estado elevado de indolencia, una suerte de ataraxia, de nirvana.

Poco faltaba para llegar a Cañete, para sentarse en una mesa y comer algo en El Guardián. Vendría a atenderla esa simpática mujer que siempre le sonreía y la resondraba* porque "comía tan poquito". Esta vez Ana le pediría un buen saltado de carne*, con bastante ají*, y no dejaría nada en el plato y, cuando viniera a recogerlo, le diría: "Ya ves, me he comido todo".

Pero cuando llegó a la gasolinera y le pidió al dependiente que le llenara el tanque, echó un vistazo a la acera de enfrente y se dio con que el restaurante estaba cerrado. No había ningún cartel, nada que justificara el cierre del local. No supo qué hacer, si marcharse o llamar al timbre.

Optó por esto último. En eso, la puerta se abrió. Una niña con dos colas* en la cabeza sostenía la manija y la miraba sonriente.

–¿Tu mamá? –le preguntó Ana, suponiendo que era la hija de la dueña.

–Ha salido... –dijo la niña.

–¿Hoy no abre?

–No –respondió la niña–. Va a llevarme al circo.

–¿Al circo?

–Sí, ha venido un circo.

–Ah... –asintió Ana, como quien sigue la corriente de una obvia mentira infantil.

–Nunca he ido al circo... –comentó la criatura.

–¿No? Te va a gustar.

–Mi mami dice que hay un gusano gigante en el circo.

–¿Un gusano?

–Sí.

–Ah... –dijo Ana, poniéndose las gafas de sol–. Bueno –le dio un beso–, me voy, ya verás qué bien la vas a pasar*.

Se despidió y entró en su carro. La niña le hizo adiós con la mano y cerró la puerta.

Tuvo que buscar otro restaurante donde almorzar.

"¡Qué raro!", pensó seguidamente, "¡un circo en Cañete!, ¡el 24 de diciembre!" La temporada circense era en julio, durante las fiestas patrias[15], y no en verano, mucho menos a finales de año.

La sospecha de que la niña pudiera haberle mentido quedó respaldada cuando, un rato después, mientras almorzaba* en un restaurante cercano, advirtiera que el atavío del pueblo se aprestaba única y exclusivamente a recibir la Navidad y el Año Nuevo. Cables con lucecitas de colores adornaban las ventanas de las casas, tiendas y almacenes; pancartas del municipio deseaban "Feliz Navidad y un próspero Año Nuevo" a los vecinos de Cañete; nada en ningún sitio anunciaba el arribo inminente de ningún circo.

Sin embargo, media hora después, al salir del pueblo, poco antes de llegar nuevamente al imponente desierto, un camión la pasó a velocidad. Ana vio sorprendida que la carga era un gigantesco gusano de plástico, lo que, naturalmente, la obligó a recordar las palabras de la niña.

Atacada por el nervio de la intriga, hundió el pie en el acelerador hasta quedar detrás del voluminoso camión. Observaba las motas negras que salpicaban el rugoso cuerpo del enorme muñeco, de ese enorme gusano, y súbitamente, justo cuando ya pensaba darle alcance, el camión giró a la derecha; y entonces, como si el telón de la fantasía se abriera de par en par, apareció ante ella la magnificencia y esplendor de una inmensa carpa de colores, levantada en medio del castaño arenal, rodeada de una muchedumbre que confusamente se abría paso para que el camión siguiera su camino.

---

[15] Las fiestas patrias rememoran la proclamación de la independencia del Perú por el general San Martín el 28 de julio de 1824.

Habiendo pasado la ruta lateral que llevaba hasta el circo, no le quedó más remedio que seguir viaje y volver la vista atrás, una y otra vez, impertérrita ante aquel enorme despropósito.

Como una descarga volvieron a su mente la cara del viejo y la cara del Ser Oculado, así como el rostro del portero del museo de Paracas convertido en el rostro de Antonio, y volvió a su mente también el incendio en los ojos de la mujer desnuda que se le cruzó aquella mañana.

Seguidamente, bajo el criterio del caos, una serie de figuras irrumpió en el espacio de su imaginación con la intensidad de una fiebre mortífera. Desfilaron cabezas cuyas bocas se hallaban cerradas con espinas de guarango, y robustos cachalotes con el cuerpo arqueado, y seres humanos con forma de muelas y dientes, y espinazos de lenguados a los que les faltaban las costillas, y hombrecillos que blandían machetes por encima de sus cabezas cuadradas, y el espigado colibrí de la pampa, con su largo pico y estilizadas alas. Todo un torbellino de siluetas que le ordenaron detenerse de inmediato.

Pensó volver a la carretera y tomar el sentido contrario para entrar en el arenal donde se encontraba el circo, pero temió que todo hubiera sido producto de su imaginación y que ya no hubiera nada: ni circo, ni gente, sino únicamente pedruscos y tierra.

Tenía que ser fuerte, no dejarse amedrentar. Quizá todo guardara lógica para cualquier otra persona, para un poblador del sur. La irregularidad de los acontecimientos no implicaba necesariamente la interferencia de una fuerza paranormal. Además, serios estudios médicos achacaban al estrés manifestaciones alucinógenas, y éste bien podía ser el caso.

Debía continuar. Llegar a Lima. Quedaba apenas un cuarto del camino por recorrer. Atrapó la botella de agua que rodaba por el suelo del carro y bebió tranquilamente, recobrando el pulso y la respiración. Le dio al contacto y puso en marcha el motor. Pronto atravesaría la playa de Puerto Fiel y, a partir de entonces, sería casi como haber llegado a Lima; a partir de Puerto Fiel sentiría que ya estaba otra vez en casa.

* * *

Manejaba* a velocidad, creyendo que quizá pudiera tratarse de una prueba de iniciación. Apenas había cumplido tres meses yendo y viniendo por los caminos del sur y con total seguridad sus estudios demorarían* más de lo que había previsto. Así que era una forastera, debía asumirlo; desde siempre supo que los forasteros, antes de hacer suyos nuevos territorios, eran en un principio sus víctimas.

El aislamiento y la falta de un compañero con quien intercambiar el maremagno de novedades que la sorprendían día a día habían hecho rebalsar el recipiente de su memoria, potenciando las facultades del pensamiento subjetivo y exigiendo una inhumana fuerza mental para combatir el forzoso silencio; tanto así que, al llegar la noche, acababa rendida, postrada en sueños laberínticos de una realidad vertiginosa.

Una vez en casa, a lo mejor debía imponerse prolongadas siestas y días enteros de reposo. Quizá, por un periodo de tiempo, debía romper con el exterior, recluirse, descansar, evitar los compromisos navideños que siempre acababan agrediendo su intimidad con visitas impertinentes y charlas desmedidas además de triviales. Debía tal vez salir lo menos posible y no amargarse así con la desproporcionada hipocresía de una fiesta que, en nombre de la fe, se encomienda sin reservas al despilfarro, el delirio, originando atascos en cualquier rincón, engendrando muchedumbres, provocando incidentes, dando la impresión de que el mundo, cada Navidad, pierde los estribos.

Atravesó velozmente Puerto Fiel[16] y el León Dormido, playas hermosas en las que solía detenerse para contemplar el mar. El velocímetro indicaba 180 kilómetros por hora. Le encantaba la sensación de ir volando, de que a su paso iba quedando el poderoso rugido de una cuatro por cuatro.

Sin embargo, aquel rugido fue como si de pronto empezara a convertirse en violentos espasmos. Se hallaba en las angostas curvas próximas a Pucusana[17], donde la carretera se estrechaba en un solo carril de doble sentido. El pedal del acelerador no respondía a sus nerviosas pisadas

---

[16] Playa situada a 122 km al sur de Lima.

[17] Balneario situado a 60 km al sur de Lima.

y el carro inevitablemente comenzaba a frenarse. ¿Qué diablos pasaba? No podía creerlo, no tenía ya fuerza para creerlo. Increpó a Dios por su infortunio cuando finalmente la camioneta exhaló un último suspiro, quedó varada bajo un angosto cobertizo de roca negra.

Bajó del carro rápidamente para revisar el motor. La maquinaria, no obstante, parecía estar en perfectas condiciones. ¿Y ahora qué hacía?, ¿quién podía ayudarla?

En ese yermo territorio no había un alma y hacía largo rato que ningún carro se había cruzado en su camino. Pegó un violento manotazo en la lámina metálica del techo y maldijo su desventura. No cabía duda de que aquel día iba a permanecer grabado para siempre en su memoria como un día nefasto.

Tal vez pudiera dejar la camioneta y tomar el camino que llevaba a la playa más cercana y buscar allí ayuda o un teléfono. En vista de que no tenía otra salida, se echó a andar sin pensárselo dos veces.

Cruzó la carretera.

A unos treinta metros divisó un camino de trocha. Por fortuna, reconoció el lugar. Siguiendo aquel camino que subía y bajaba los pálidos cerros, antes de divisar el mar en la distancia, se encontraban, en lo alto de una cumbre, las latas que formaban la imagen de Sarita Colonia: era la playa Tiza.

Nunca había estado allí. Por los carteles desperdigados en la zona, que advertían del peligro de balas perdidas, pensó que debía de tratarse de una playa de propiedad militar.

A la altura de su vista sobresalían, como las torres de un castillo, las sinuosas cumbres de los cerros, y de cuando en cuando, haciendo destellar su superficie como un espejo, recobraba existencia el indómito océano.

Empezó a apurar la marcha, lo que, estratégicamente, no parecía una buena idea. La arena reblandecía engullendo sus pasos, de forma que suponía un doble esfuerzo correr y, al mismo tiempo, tener que levantar los pies. Pero no le importó. No se cansaba. De alguna manera parecía estar entrenada para salvar ese escollo.

Más adelante, sin embargo, cuando su respiración comenzó a excitarse, un fortuito mareo la derrumbó despeñándola ladera abajo. A medida que iba dando tumbos y levantando arena en su inocua caída, Ana observaba el mundo ponerse de pie y otra vez de cabeza, como si fuera él, y no ella, quien cayera precipitadamente.

Una vez en el suelo, se levantó y los rayos de una férrea mirada se engancharon a sus ojos. Delante de sí, con esa geométrica anatomía y enarbolando una cabeza trofeo, el Ser Oculado le mostraba su perversa sonrisa desde lo alto del monte. Quedó aterrorizada al comprobar que las latas que antes habían servido para diseñar la figura inocente y pueril de Sarita Colonia, ahora servían para llenar de horror los fulminantes ojos de un ser salido de las entrañas del infierno.

Corrió despavorida hacia su camioneta, convencida de que el Ser Oculado había venido para llevársela. Quería su cuerpo, su vida, su aliento, y debía huir, esconderse, correr lo más rápido posible. Pero cuando llegó a la carretera descubrió, sumida en el pánico, que la camioneta había desaparecido.

Sabía que el Ser Oculado y su séquito servil, comandado por el padre de Antonio, estaban ahí, aguardando la oportunidad de alejarla de este mundo para siempre, de cumplir con sus juramentos, iniquidades, vesanias. Habían sorteado las trampas de los tiempos para evitar que

la humanidad descubriera, a través de ella, su banal existencia.

Pero no la atraparían, no hasta que no le revelaran sus secretos.

–¡Hablen! –gritaba.

De pronto, una mano tocó su hombro por la espalda.

En un principio era ella misma cayendo sobre los infinitos granos de arena del desierto. Seguidamente, era su rostro de la infancia, luego el de su juventud, después el de su ignota vejez y finalmente el del útero; los mismos ojos negros de siempre, unas veces alegres, otras veces melancólicos, transitando las edades de la vida.

Cuando su pasado, presente y futuro se alejaron de sí, se halló rodeada de gente. Distinguió a la mujer desnuda que había visto aquella mañana antes de llegar a Palpa. Distinguió al portero del museo de Paracas cuyo rostro le había parecido por un instante el rostro de Antonio. Observó a la niña del restaurante, feliz porque había podido acudir al circo. Vio también a Sarita, la mujer de Antonio. Y vio a Fermina Rojas, la dueña del hostal donde solía hospedarse. Aunque todos la miraban indiferentes, el poder de sus ojos conseguía transmitirle un sosiego espiritual sin límites. Todos ellos venían acompañados por el viejo, que, dando un paso adelante, le señaló la figura del Ser Oculado en lo alto de la montaña.

Fue esta criatura la que le ordenó partir de regreso a Nazca.

Sin poder esperar más, empezó la ardua marcha, y durante días y noches enteras, semanas y meses, buscó sin cesar la carpa del circo a la salida de Cañete, o la casa de Antonio en el valle, o la zona de la quebrada Majuelos

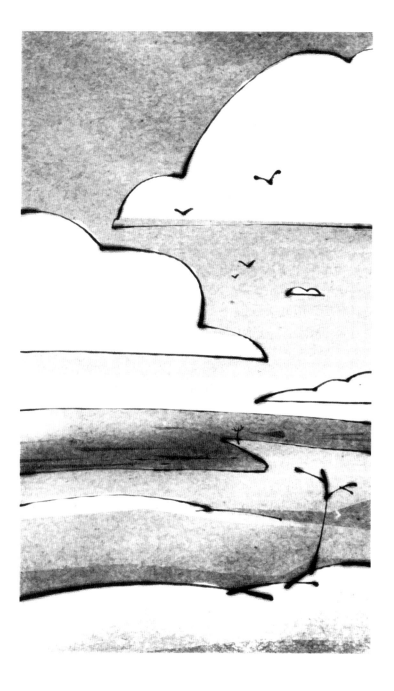

donde había encontrado tantos petroglifos, o el tramo en las proximidades de Palpa donde había visto a la mujer desnuda. Nunca encontró nada.

Tampoco los lugareños supieron contestar a sus preguntas. La miraron extrañados, algunos se burlaron, otros ni siquiera le prestaron atención. Y las veces que insistió, se alejaron murmurando improperios sin volver la vista atrás.

Quedó vagando por la costa durante el resto de su vida, sabiendo con exactitud que ni soñaba ni había perdido la razón, convencida de que algún día sus pesquisas la harían regresar al momento en que todo pareció haber estado a punto de esclarecerse. Trató de interpretar las líneas de la pampa, creyendo que tal vez pudieran devolverle la información perdida en la quebrada Majuelos, pero la verdad es que nunca consiguió leer en ellas nada, ni el final de su destino ni el del mundo entero, porque pretender penetrar en los sueños de quien gobierna nuestras vidas equivale al peor de los tormentos, sentir la boca sellada con espinas.

Ejercicios de comprensión

1 Responde a las siguientes preguntas:

a) ¿Dónde se encuentra la protagonista al principio de la historia?

....

b) ¿Por qué la protagonista decide detenerse en el museo en su regreso a Lima?

....

c) ¿Qué le motiva recordar lo sucedido el día anterior?

....

d) Según tu opinión, ¿cuál fue el primer suceso extraño que le ocurrió a la protagonista?

....

e) ¿Cuál es la causa de la extraña manera de ser de los costeños?

....

f) ¿Cuál es la duración temporal del relato?

....

g) ¿Por qué el padre de Antonio cree que la cabeza trofeo es el guardián de la zona?

....

h) ¿Por qué la protagonista regresa a Lima?

....

2 Explica brevemente:

a) ¿Cómo imaginas Nazca?

....

....

....

b) ¿Cómo imaginas la vida en Perú?

....

....

....

c) ¿Existe una conexión entre las culturas antiguas y los seres de otros mundos?

....

....

....

d) ¿Hay vida después de la muerte?

....

....

....

e) ¿Qué le ocurre a la protagonista al final de la historia?

....

....

3 Haz un breve resumen de esta historia.

....

....

....

....

....

....

....

....

4 Imagina y redacta un nuevo final.

....

....

....

....

....

Ejercicios de gramática

1 El imperfecto. Copia los verbos en imperfecto que aparecen en el siguiente pasaje y explica su uso:

Los desiertos de Nazca estaban repletos de ellos. Líneas que iban y venían, que nacían en los pies de uno, y que continuaban hasta perderse en el horizonte. Que se interceptaban, que se interrumpían, que formaban espirales, ángulos, rectángulos, o dibujaban aves, serpientes, monos, felinos, peces y una serie de animales que habitaban a cientos de kilómetros de allí, y que vinculaba a Nazca con culturas como Chavín o Paracas. Algunos habían afirmado que se trataba de un mapa estelar, un reflejo en la tierra de lo que ocurría en el cosmos, un mapa capaz de organizar el tiempo y reconocer los solsticios y equinoccios, y detectar la llegada de las estaciones y el paso de los cometas. Pero los detractores aseguraban que la envergadura de tal obra bien podía interpretarse, a su vez, como un derroche innecesario de esfuerzos: si conocían tan minuciosamente las reglas del universo, ¿por qué dibujarlas con tanto esmero en la tierra, siendo factible leer el cielo? Otra posible opción, el culto religioso, no equivalía necesariamente a atraso científico: las líneas pudieron servir como rutas de peregrinación de innumerables ritos; de este modo, los animales dibujados se entenderían como santuarios donde se depositaban ofrendas o se rendían sacrificios. ¿Y si se trataba más bien de un mapa geológico en lugar de un mapa estelar?

■ Haz una breve redacción sobre un viaje utilizando el imperfecto. Describe el lugar, el aspecto físico y los sentimientos de los personajes.

2 Imperfecto / indefinido. Observa el contraste entre estos dos tiempos verbales en el siguiente párrafo y explica su uso:

Atacada por el nervio de la intriga, hundió el pie en el acelerador hasta quedar detrás del voluminoso camión. Observaba las motas negras que salpicaban el rugoso cuerpo del enorme muñeco, de ese enorme gusano con ojos y dientes, cuando súbitamente, justo cuando ya pensaba darle alcance, el camión giró a la derecha; y entonces, como si el telón de la fantasía se hubiera abierto de par en par, apareció ante ella la magnificencia y esplendor de una inmensa carpa de colores, levantada en medio del castaño arenal, rodeada de una muchedumbre que confusamente se abría paso para que el camión siguiera su camino.

■ Escribe el infinitivo en imperfecto o indefinido según corresponda.

Ayer (conocer) .... *a la chica que tanto me* (gustar) .... (Estar, yo) .... *casi desesperado. Me había prometido conocerla, pero no* (atreverse, yo) .... *a tocar su puerta. A eso de las siete de la tarde,* (decidirse, yo) .... (Plantarse, yo) .... *delante del espejo y* (ensayar, yo) .... *mil veces lo que* (tener, yo) .... *que decirle. Cuando ya* (estar, yo) .... *preparado,* (salir, yo) .... *de mi habitación, pero, repentinamente,* (cambiar, yo) .... *mis planes.* (Saber, yo) .... *justificarme con lo que llamaré el "juego de las puertas". Desde el primer día que la* (ver, yo) .... (tratar, yo) .... *de averiguar su horario y saber a qué hora* (llegar, ella) .... *o* (salir, ella) .... *normalmente escuchando el sonido de su puerta al abrirse o cerrarse. De este modo,* (fingir, yo) .... *encuentros casuales, encontrándome con ella en los momentos en que ella* (entrar) .... *o* (salir) .... *Después de haber hecho esto un par de veces (o quizá más),* (encontrarse, yo) .... *con la grata sorpresa de que ella* (empezar) .... *a hacer lo mismo que yo, a practicar el "juego de las puertas".* (Descubrir, yo) .... *que siempre que* (ir, yo) .... *a la sala de televisión, ella* (venir) .... *detrás de mí. O cuando* (entrar, yo) .... *al baño del pasillo, la* (ver, yo) .... *a ella al salir. Por eso ayer, antes de tocar su puerta,* (pensar, yo) .... *que, en vez de llamar,* (ser) .... *posible que ella saliera.*

3 El gerundio. Copia los gerundios que hay en el párrafo siguiente y explica su valor:

Manejaba a velocidad, creyendo que quizá todo pudiera tratarse de una prueba de iniciación. Apenas había cumplido tres meses yendo y viniendo por los caminos del sur y con total seguridad sus estudios demorarían más de lo que había previsto. Así que era una forastera, debía asumirlo; desde siempre supo que los forasteros, antes de hacer suyos nuevos territorios, son en un principio sus víctimas.

El aislamiento y la falta de un compañero, con quien intercambiar el maremagno de novedades que la sorprendían día a día, habían hecho rebalsar el recipiente de su memoria, potenciando las facultades del pensamiento subjetivo y exigiendo una inhumana fuerza mental para combatir el forzoso silencio; tanto así que, al llegar la noche, acababa rendida, postrada en sueños laberínticos de una realidad vertiginosa.

■ Transforma las siguientes frases con gerundio utilizando los siguientes nexos: *aunque, cuando, como, si,* según corresponda.

a) La mujer de Antonio, previendo lo que se venía, mandó a los niños a jugar.

....

b) Pero usando la torre y subiendo a los cerros no se estropean las líneas.

....

c) Habiendo pasado la ruta lateral, no le quedó más remedio que seguir viaje.

....

d) Se había asemejado tanto que, aun advirtiendo la inverosimilitud de este hecho, le faltó poco para confundirlo.

....

4 Perífrasis verbales. Construye oraciones con las perífrasis siguientes:

acabar + gerundio:

....

empezar + gerundio:

....

quedarse + gerundio:

....

venir + gerundio:

....

■ Sustituye las perífrasis de infinitivo de las siguientes oraciones por la expresión adecuada:

a) Discúlpenme, pero me *tengo que marchar.*

....

b) *Acababa de salir* de la quebrada cuando de pronto un hombre la detuvo.

....

c) El incidente la *llevó a pensar* en lo ocurrido la víspera.

....

d) –Estudio, señor –dijo Ana, *tratando de mantener* la compostura.

....

5 El subjuntivo. Redacta un párrafo utilizando *como si / tal vez / quizá / aunque* con verbos en subjuntivo.

....
....
....
....
....
....

1. Transforma en negativas las siguientes frases:

a) Está demostrado que el precio de los carburantes subirá.

....

b) Es evidente que las mujeres son menos puntuales que los hombres.

....

c) Parece obvio que los atletas de alta competición entrenan demasiado.

....

d) Es verdad que ha sido uno de los mejores cantantes de pop.

....

2. Reacciona utilizando el subjuntivo:

a) Me duele la cabeza.

¿Quieres que ....?

b) Tengo que irme y mi coche no funciona

¿Quieres que ....?

c) Debo salir urgentemente. Te pido por favor que ....
.... y que ....

d) Tengo sueño.

¿Deseas que ....?

6 El pretérito perfecto. Construye frases poniendo en pretérito perfecto el verbo que aparece al lado del marcador.

Ej.: *nunca / estar → Nunca he estado en Sevilla.*

a) nunca / deshacer:

....

b) todavía no / pensar:

....

c) desde siempre / creer:

....

d) aún no / saltar:

....

e) jamás / volar:

....

7 Preposiciones. Escoge la respuesta adecuada:

a) Anoche soñé .... mi hermana.

| de sobre a con |

b) Estoy todo el tiempo acordándome .... ustedes.

| con para a de |

c) Aquel individuo aspira .... ser presidente de la república.

| de para a en |

d) Los escritores estadounidenses de entre guerras influyeron .... los hispanoamericanos.

| en sobre por de |

e) Aquel resumen está hecho .... pensar.

| por sin sobre desde |

f) Este asunto me viene .... perlas.

a   de   con   entre

g) Este lugar apesta, yo diría que huele .... tabaco.

de   por   sobre   a

h) Acabo de confundir a Isabel .... Tatiana.

por   sin   con   para

i) Estaba hecho .... cartones y papel.

con   por   a   de

j) Se detuvo .... ayudarla.

a   por   para   en

EJERCICIOS DE LÉXICO

1 Elige la frase que se corresponde con el contenido del enunciado:

a) De cualquier forma, el viejo no ignoraba que Ana se hacía demasiadas preguntas.

1. Ana se hacía demasiadas preguntas que el viejo ignoraba.

2. Aunque Ana se hiciera demasiadas preguntas el viejo ignora.

3. El viejo no lo ignora.

b) Es un desierto en todo el sentido de la palabra.

1. No es un desierto.

2. Es un desierto, con todo lo que esto significa.

3. Es un desierto con tanto significado como una palabra.

c) La hacía contemplar todo de un modo ajeno.

1. La hacía contemplar todo como si estuviera lejos.

2. La hacía contemplar todo como si no fuera suyo.

3. La hacía contemplar todo como si le fuera indiferente.

d) Atacada por el nervio de la intriga.

1. Con mucha prisa.

2. Con mucho desconcierto.

3. Con mucha curiosidad.

e) No, más bien quería agradecerle que me jalara.

1. No, mejor.

2. No, en lugar de eso.

3. No, tal vez.

f) Abierto de par en par.

    1. Poco abierto.

    2. Abierto.

    3. Bien abierto.

g) No haber un alma.

    1. Haber fantasmas.

    2. No haber nadie.

    3. Haber solo una persona.

2 Qué crees que significan las siguientes expresiones del habla peruana:

a) Llenar el tanque ....

b) Chispa criolla ....

3 Coloca cada una de las siguientes expresiones en la frase que le corresponde.

tener la certeza	hacer el amago
echar un vistazo	tentar la suerte
sin previo aviso	de repente
no caber duda	dar en el blanco
leer los ojos	no quedarle a uno más remedio

a) Porque a él .... que seguir estudiando, si quiere aprobar la secundaria.

b) Como no hay timbre, ¿por qué no ....
por la ventana, no vaya a ser que vengan y no nos demos
cuenta?

c) El verano pasado fuimos a un casino a ....
.........................., pero no ganamos nada, fue horrible.

d) Tienes que .... para saber si te
miento o si te digo la verdad.

e) Él no sabía si saludarlo; pasó a su lado, ...
.... de detenerse, pero al final se marchó.

f) .... de que todos tenemos defectos,
no hay nadie perfecto.

g) Las sospechas de ese investigador ....
y atraparán al criminal.

h) Ellos .... de que pronto todo saldrá
bien y las cosas irán mejor para nosotros.

i) Estaba a punto de abandonar la casa y, ...,
se encontró con su madre, que acababa de llegar.

j) Vinieron a la oficina ...., por
eso no pudimos entregarles los papeles que necesitaban;
habíamos salido.

CLAVES

CLAVES

EJERCICIOS DE COMPRENSIÓN

1

a) La protagonista se encuentra en el museo de Paracas.

b) Decide detenerse por las premoniciones del padre de Antonio.

c) Lo que motiva el recuerdo es la figura del Ser Oculado.

d) Respuesta libre.

e) La dualidad del paisaje costeño.

f) El relato tiene una duración temporal de dos días.

g) Porque protegió una vez a su hijo de que fuera raptado.

h) Para pasar las Navidades.

2

Respuesta libre.

3

Respuesta libre.

4

Respuesta libre.

EJERCICIOS DE GRAMÁTICA

1

estaban, iban, venían, nacían, continuaban, se interceptaban, se interrumpían, formaban, dibujaban, habitaban, vinculaba, se trataba, ocurría, aseguraban, podía, conocían, equivalía, depositaban, rendían, se trataba

En este texto se usa el imperfecto por tratarse de una descripción.

■ Respuesta libre.

2

En este pasaje la distinción imperfecto / indefinido sirve para narrar, por un lado, con el indefinido los hechos puntuales, acabados, y con el imperfecto aquellos cuya finalización es menos importante que su duración o su carácter reiterativo.

■ *Ayer* **conocí** *a la chica que tanto me* **gustaba.** **Estaba** *casi desesperado. Me había prometido conocerla, pero no* **me atrevía** *a tocar su puerta. A eso de las siete de la tarde,* **me decidí.** **Me planté** *delante del espejo y* **ensayé** *mil veces lo que* **tenía** *que decirle. Cuando ya* **estaba** *preparado,* **salí** *de mi habitación, pero, repentinamente,* **cambié** *mis planes.* **Supe** *justificarme con lo que llamaré "el juego de las puertas". Desde el primer día que* **la vi, traté** *de averiguar su horario y saber a qué hora* **llegaba** *o* **salía** *normalmente escuchando el sonido de su puerta al abrirse o cerrarse. De este modo,* **fingía** *encuentros casuales, encontrándome con ella en los momentos en que ella* **entraba** *o* **salía.** *Después de haber hecho esto un par de veces (o quizá más),* **me encontré** *con la grata sorpresa de que ella* **empezó** *a hacer lo mismo que yo, a practicar el "juego de las puertas".* **Descubrí** *que siempre que* **iba** *a la sala de televisión, ella* **venía** *detrás de mí. O cuando* **entraba** *al baño del pasillo, la* **veía** *a ella al salir. Por eso ayer, antes* *de tocar su puerta, **pensé** que, en vez de llamar, **era** posible que ella saliera.*

3

creyendo, yendo, viniendo, potenciando, exigiendo

Los gerundios sirven para expresar simultaneidad temporal, como el caso de a); asimismo, en su forma compuesta expresa anterioridad, como el caso de c). En b) se indica la condición, y acompañado de adverbios como *aun, hasta, incluso* expresa la concesividad, como en d).

■ a) La mujer de Antonio, **como preveía lo que se avecinaba,** mandó a los niños a jugar.

b) Pero **si usas la torre y subes a los cerros** no se estropean las líneas.

c) **Cuando pasó la ruta lateral** no le quedó más remedio que seguir.

d) Se había asemejado tanto que, **aunque hubiera advertido la inverosimilitud de este hecho,** le faltó poco para confundirlo.

4

Respuesta libre.

■ **Posibles respuestas**

a) Discúlpenme, pero **es necesario que me vaya.**

b) **Justo en ese momento había dejado la quebrada** cuando de pronto un hombre la detuvo.

c) El incidente **provocó que pensara** en lo ocurrido en la víspera.

d) Estudio, señor –dijo **Ana, haciendo un esfuerzo por mantener** la compostura.

5 Respuesta libre.

1.

a) No está demostrado que el precio de los carburantes vaya a subir.

b) No es evidente que las mujeres sean menos puntuales que los hombres.

c) No parece obvio que los atletas de alta competición entrenen demasiado.

d) No es verdad que haya sido uno de los mejores cantantes de pop.

2. Posibles respuestas

a) ¿Quieres que compre aspirinas?

b) ¿Quieres que te lleve en el mío?

c) Debo salir urgentemente. Te pido por favor que me prestes dinero y llames un taxi.

d) ¿Deseas que apague la luz?

6

Respuesta libre.

7

a) con   **f)** de

b) de   **g)** a

c) a   **h)** con

d) en   **i)** con / de

e) sin   **j)** a / para

CLAVES

EJERCICIOS DE LÉXICO

1

a) 3; b) 2; c) 1; d) 3; e) 2; f) 3; g) 2.

2

a) *Llenar el tanque:* llenar el depósito del coche de gasolina.

b) *Chispa criolla:* humor o estado de ánimo vivaz del criollo.

3

a) Porque a él **no le queda más remedio** que seguir estudiando, si quiere aprobar la secundaria.

b) Como no hay timbre, ¿por qué **no echas un vistazo** por la ventana, no vaya a ser que vengan y no nos demos cuenta?

c) El verano pasado fuimos a un casino a **tentar la suerte,** pero no ganamos nada, fue horrible.

d) Tienes que **leer mis ojos** para saber si te miento o si te digo la verdad.

e) Él no sabía si saludarlo; pasó a su lado, **hizo el amago** de detenerse, pero al final se marchó.

f) **No cabe duda** de que todos tenemos defectos, no hay nadie perfecto.

g) Las sospechas de ese investigador **darán en el blanco** y atraparán al criminal.

h) Ellos **tienen la certeza** de que pronto todo saldrá bien y las cosas irán mejor para nosotros.

i) Estaba a punto de abandonar la casa y, **de repente,** se encontró con su madre, que acababa de llegar.

j) Vinieron a la oficina **sin previo aviso,** por eso no pudimos entregarles los papeles que necesitaban; habíamos salido.

Glosario

ají: planta que produce frutos picantes y dulces; fruto de dicha planta.

almorzar: tomar alimento a mediodía o a primeras horas de la tarde. En Perú, el almuerzo constituye la segunda comida del día. Se almuerza entre las doce y las tres de la tarde. Los tres platos del día son: desayuno, almuerzo y comida.

apuro: a diferencia de España, donde se utiliza el término con el significado de 'vergüenza' o 'reparo' (acepción 4 del *DRAE),* en Perú se utiliza con el sentido de 'apremio, prisa, urgencia' (acepción 3 del *DRAE). ¡Apúrate!, !apúrense!* equivalen a 'date prisa' y 'daros prisa' en España, y las construcciones *estoy apurado, estamos apurados* equivalen a 'tengo prisa', 'tenemos prisa', respectivamente.

aquísito: los diminutivos en adverbios de tiempo refuerzan la idea de proximidad. En este caso la voz *aquísito* subraya la proximidad espacial. Del mismo modo, *ahorita* señala la proximidad temporal del hecho o suceso (lo que diferencia de "ahora", palabra que para los peruanos, si no se hace una aclaración, refiere vagamente al presente).

auquénido: camélido de los Andes meridionales. Comprende cuatro especies: llama, alpaca, guanaco y vicuña.

bufeo: designa básicamente a los delfines negros, abundantes en las costas peruanas.

cachorro: la segunda acepción de *DRAE* ('hijo pequeño de otros mamíferos, como león, tigre, lobo, oso, etc.') es válida, por extensión, para crear el uso familiar o jergal que significa 'hijos'; se usa en Perú con valor afectivo o cariñoso.

carajo: voz malsonante. Interjección coloquial que indica enfado o sorpresa. **Irse al ~:** echarse algo a perder, tener mal fin; **mandar a alguien al ~:** rechazarlo con insolencia o desdén; **no valer un ~:** no valer o servir nada o para nada.

carro: coche, automóvil.

cerro: elevación de tierra aislada y de menor altura que el monte o la montaña.

coleta: mechón de cabello.

convidar: invitar, ofrecer.

chacra: alquería o granja. Del quechua *chacra.*

choza: cabaña formada de estacas y cubierta de ramas o paja, en la cual se recogen los pastores y gente del campo.

demorar: tardar. *¿Cuánto te demoras hasta Barcelona?* En España se diría: *¿Cuánto tardas hasta Barcelona?*

discúlpenme: obsérvese la concordancia del verbo con el pronombre ustedes.

garúa: llovizna.

guarango: árbol espinoso.

huaquero: del verbo huaquear, 'profanar cementerios prehispánicos con fines lucrativos'.

jalar: tirar, atraer. En este caso, sin embargo, significa llevar a alguien en un vehículo. En la jerga de la droga, 'aspirar cocaína'.

manejar: conducir.

nomás: no más, solamente, apenas, precisamente. Da énfasis a la expresión: *Pase nomás.*

pampa: cualquiera de las llanuras extensas de América meridional que no tiene vegetación arbórea. La voz proviene del quechua *pampa,* 'llano, llanura'.

pasarla bien / mal / genial: a diferencia de España, donde se utiliza la locución adverbial con el enclítico de complemento directo *lo: pasarlo bien / mal / genial,* en Perú se opta por el complemento directo femenino.

resondrar: regañar.

saltado de carne: variedad de platos empiezan por el término *saltado,* que vendría a significar 'entrevero', 'mezcla'. Así pues, esta expresión sería un entrevero de carne, patatas, cebollas, tomate, etc.

voltearse: darse la vuelta, girar sobre uno mismo. *¡Voltéate!* (imperativo) y *me volteé* (indicativo), por 'date la vuelta' y 'me di la vuelta', respectivamente, en España.